¿Por qué estás triste?

MONTAÑA
ENCANTADA

Violeta Monreal

¿Por qué estás triste?

EVEREST

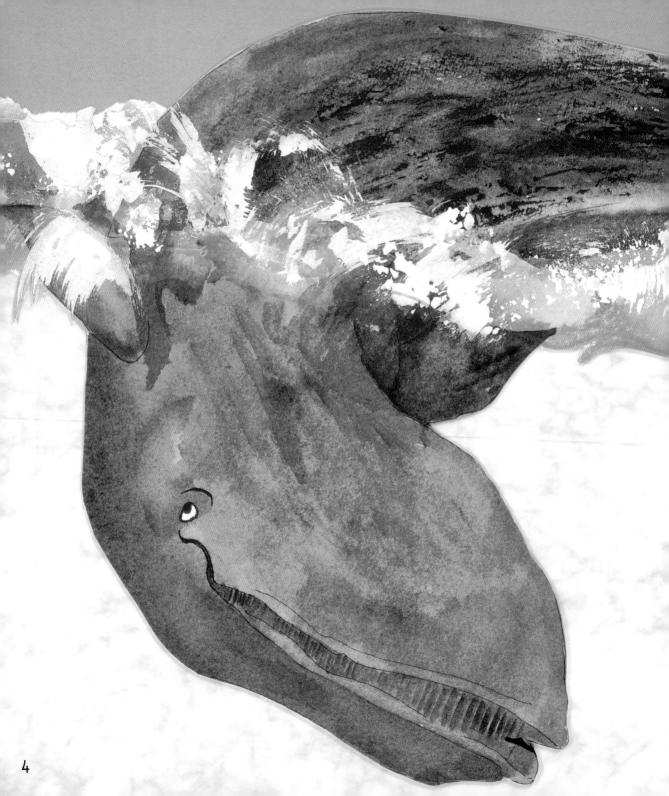

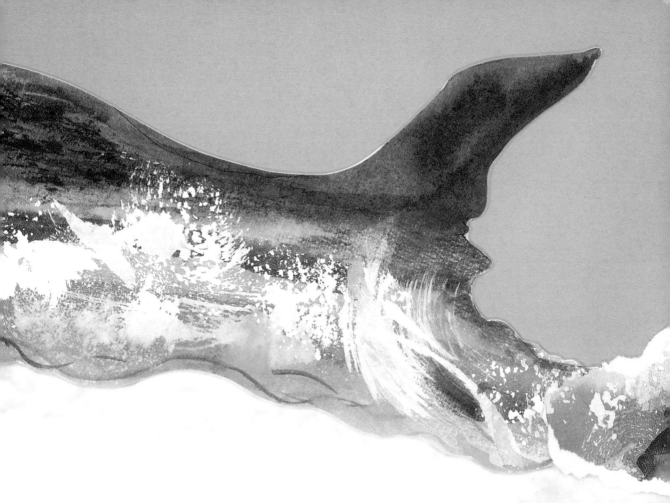

Almudena la ballena azul soy.
Viajando siempre estoy.
Pregunto a los niños del mundo
sus pesares más profundos.

Paulina es china.
¿Por qué estás triste, Paulina?

Mis papás y yo muy lejos nos fuimos.
En Nueva York ahora vivimos.
Atrás, todo lo tuvimos que dejar:
amigos, familia y hogar.

Omar es de Madagascar.
¿Por qué estás triste, Omar?

A la ciudad acabo de llegar.
En el colegio soy nuevo
y estoy solo en el recreo.
Conmigo nadie quiere jugar.

9

Regina es de Argentina.
¿Por qué estás triste, Regina?

Mis padres juntos no viven
y aunque los dos me dicen
que me quieren igual,
yo lo paso muy mal.

Quico es de México.
¿Por qué estás triste, Quico?

Me da mucha pena ver
el cielo, el mar y la ciudad
invadidos por la suciedad.
¡Algo habría que hacer!

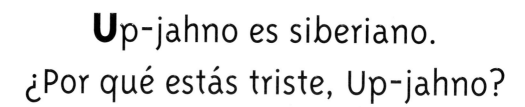

Up-jahno es siberiano.
¿Por qué estás triste, Up-jahno?

Para alfombras, para ropas...
¡A por aquélla! ¡A por aquél!
Pocos son los leones, zorros y focas
que pueden salvar su piel.

Elena es chilena.
¿Por qué estás triste, Elena?

Los perros te lo dan todo.
No les gusta estar solos.
Necesitan un hogar.
No los debes abandonar.

Emil es de Brasil.
¿Por qué estás triste, Emil?

Alguien prendió fuego,
el bosque se quemó luego.
Pasear ya no puedo;
está negro todo el suelo.

Santia es de la India.
¿Por qué estás triste, Santia?

A pesar de su tamaño,
los elefantes a nadie hacen daño.
Sólo por sus dientes
los quiere matar la gente.

Thi-tam es de Vietnam.
¿Por qué estás triste, Thi-tam?

Mi abuelo está un poco malo
y me da mucha pena pensar
que algún día no pueda estar
aquí conmigo, a mi lado.

Andrea nació en Corea.
Susana es su hermana
y también es coreana.
¿Por qué estás triste, Andrea?

Sé que fue sin querer.
Susana mi oso no quiso romper.
Tengo muchas ganas de llorar
y no lo puedo evitar.

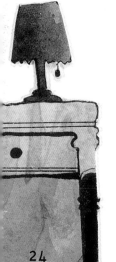

Ti-Koon es de Japón.
¿Por qué estás triste, Ti-Koon?

De mi familia tengo el cariño;
tengo amigos con los que jugar.
Pero sé que hay
millones de niños
que no tienen
ni comida ni hogar.

Romeo es de Borneo.
¿Por qué estás triste, Romeo?

Me castigan con razón.
Sé que no me puedo estar quieto
y es verdad que soy algo travieso.
Pero, ¡mira que tengo buen corazón!

Ismael es de Israel.
¿Por qué estás triste, Ismael?

Si todos somos humanos
y vivimos en la misma tierra,
en vez de darnos la mano,
¿por qué existen las guerras?

Skana es de Ghana
y os dice la solución
para alejar la tristeza.

Para grandes problemas,
enormes como ballenas,
encontrarás la solución
siempre en tu corazón:

Nunca digas ni hagas
a ningún amigo o enemigo
aquello que no quieras
que hagan contigo.

Teresa y **E**lsa,
que son francesas,
nos dicen además:

Escribe el nombre
de todos los niños.
Une la primera letra
de cada uno
y una pregunta
encontrarás.
¡Contéstala!

Paulina
Omar
Regina

Quico
Up-jahno
Elena

Emil
Santia
Thi-tam
Andrea
Susana

Ti-Koon
Romeo
Ismael
Skana
Teresa
Elsa

Dirección editorial: Raquel López Varela
Coordinación editorial: Matthew Todd Borgens
Maquetación: Ana María García Alonso
Diseño de cubierta: Jesús Cruz

OCTAVA EDICIÓN
© Violeta Monreal
© EDITORIAL EVEREST, S. A.
Carretera León-La Coruña, km 5 – LEÓN
ISBN: 84-241-3188-6
Depósito legal: LE. 595-2005
Printed in Spain - Impreso en España
EDITORIAL EVERGRÁFICAS, S. L.
Carretera León-La Coruña, km 5
LEÓN (España)
Atención al cliente: 902 123 400
www.everest.es